TURMA DA MÔNICA©

Allan Kardec
Princípios e Valores

Dados Internacionais de Catalogação na Publicação (CIP)
(Câmara Brasileira do Livro, SP, Brasil)

Sousa, Mauricio de
Allan Kardec : princípios e valores/Mauricio de Sousa, Luis Hu Rivas e Ala Mitchell. -- Catanduva, SP: Instituto Beneficente Boa Nova, 2018.

ISBN 978-85-8353-111-1

1. Espiritismo - Literatura infantojuvenil
2. Kardec, Allan, 1804-1869 3. Valores (Ética) - Literatura infantojuvenil I. Hu Rivas, Luis. II. Mitchell, Ala. III. Título.

18-18173 CDD-028.5

Índices para catálogo sistemático:

1. Espiritismo : Literatura infantil 028.5
2. Espiritismo : Literatura infantojuvenil 028.5

Maria Paula C. Riyuzo - Bibliotecária - CRB-8/7639

Equipe Boa Nova

Diretor Presidente:
Francisco do Espirito Santo Neto

Diretor Editorial e Comercial:
Ronaldo A. Sperdutti

Diretor Executivo e Doutrinário:
Cleber Galhardi

Editora Assistente:
Juliana Mollinari

Produção Editorial:
Ana Maria Rael Gambarini

Coordenadora de Vendas:
Sueli Fuciji

2018
Direitos de publicação desta edição no Brasil reservados para Instituto Beneficente Boa Nova entidade coligada à Sociedade Espírita Boa Nova
Av. Porto Ferreira, 1031 | Parque Iracema
Catanduva/SP | 15809-020 | Tel. (17) 3531.4444
www.boanova.net

O produto da venda desta obra é destinado à manutenção das atividades assistenciais da Sociedade Espírita Boa Nova, de Catanduva, SP.
2ª edição
10.000 exemplares
Do 20º ao 30º milheiro
Julho/2020

Estúdios Mauricio de Sousa

Presidente: Mauricio de Sousa

Diretoria: Alice Keico Takeda, Mauro Takeda e Sousa, Mônica S. e Sousa

Mauricio de Sousa é membro da Academia Paulista de Letras (APL)

Direção de Arte
Alice Keico Takeda

Diretor de Licenciamento
Rodrigo Paiva

Coordenadora Comercial
Tatiane Comlosi

Analista Comercial
Alexandra Paulista

Editor
Sidney Gusman

Revisão
Ivana Mello

Editor de Arte
Mauro Souza

Coordenação de Arte
Irene Dellega, Maria A. Rabello, Nilza Faustino, Wagner Bonilla

Produtora Editorial Jr.
Regiane Moreira

Layout e Desenho
Anderson Nunes

Arte-final
Romeu Furusawa, Thiago Martins

Cor
Giba Valadares, Kaio Bruder, Marcelo Conquista, Mauro Souza

Designer Gráfico e Diagramação
Mariangela Saraiva Ferradás

Supervisão de Conteúdo
Marina Takeda e Sousa

Supervisão Geral
Mauricio de Sousa

Condomínio E-Business Park - Rua Werner Von Siemens, 111
Prédio 19 — Espaço 01 - Lapa de Baixo — São Paulo/SP
CEP: 05069-010 - TEL.: +55 11 3613-5000

TURMA DA MÔNICA
Allan Kardec
Princípios e Valores
MAURICIO
MAURICIO DE SOUSA EDITORA
MAURICIO DE SOUSA
LUIS HU RIVAS E ALA MITCHELL
boa nova editora

Sumário

Prefácio

Trabalho, Solidariedade e Tolerância.

A educação e o conhecimento, juntos, podem tornar melhor qualquer ser humano...

Sim, isso é possível!

Numa divertidíssima viagem a Paris, na França, a Turma da Mônica conhece os princípios e valores de Allan Kardec, renomado educador francês e codificador do Espiritismo.

Nesta aventura, as crianças descobrem que o bom uso da inteligência nos ajuda a fazer escolhas melhores.

O livro *Turma da Mônica – Allan Kardec – Princípios e Valores* traz belas páginas de amor em sintonia com os ensinamentos do Evangelho de Jesus.

Já que "ações valem mais que palavras", aproveite este livro e enxergue o conhecimento como uma fonte inesgotável para uma vida mais feliz.

Luis Hu e Ala Mitchell

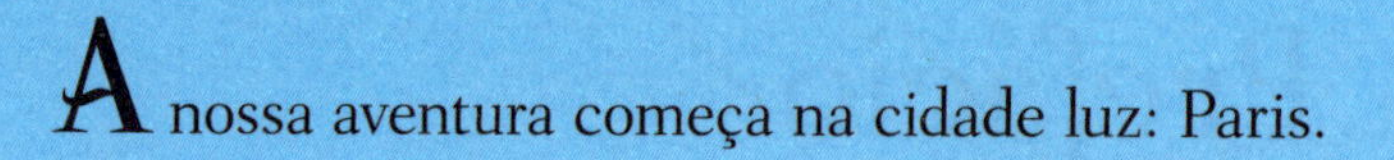

A nossa aventura começa na cidade luz: Paris.

A turminha do Limoeiro ganhou uma viagem incrível para conhecer a Europa. E o adulto que vai acompanhar as crianças é André, o primo do pai do Cascão. Afinal, ele viaja muito e conhece muitas histórias legais.

Nessa viagem também vieram Franjinha e Marina.

Enquanto conheciam diversos pontos turísticos, Cebolinha falou:

— Eu tinha o sonho de conhecer ***Palis***, a ***Flança***, a ***Eulopa***!

— O troca-letras sempre deixa a viagem mais engraçada. Há, há, ha! — pensou Cascão em voz alta, fazendo todo mundo rir.

CUISINE
TRADITIONNELLE
RESTAURANT

No último dia da viagem, durante um almoço num restaurante, André, percebeu que Magali estava incomodada e perguntou:

— O que foi, Magali?

— É que parece que a mesa está se mexendo, atrapalhando minha concentração na comida. — respondeu a comilona.

— Deve ser um problema num dos pés da mesa. — respondeu Mônica. — As mesas não se mexem sozinhas.

Aproveitando o comentário, André disse:

— Sabiam que, há muitos anos, as mesas se mexiam sozinhas?

— Como assim? — perguntou Magali. — Coitados! Com certeza, ninguém conseguia comer em paz.

Os meninos riram, mas continuavam curiosos com a história.

— Aqui mesmo, em Paris, um professor francês que eu admiro muito, pesquisou os fenômenos dessas misteriosas mesas — respondeu André. — Esses fenômenos ficaram conhecidos como "as mesas girantes".

— Mesas ***gilantes***? — repetiu o Cebolinha.

André explicou que as mesas giravam para se comunicar com as pessoas. E até respondiam perguntas. Foi quando esse professor descobriu que as mesas se mexiam por causa dos espíritos.

— Tipo o Penadinho? — imaginou Marina.

— Sim, Marina! Naquela época, ele fez mais de mil perguntas aos espíritos.
E foi assim que surgiu a doutrina que eu estudo.

— Uau! Eu ia sair correndo! — disse Cascão.

— Qual é o nome desse professor, André? — perguntou Mônica.

— Allan Kardec! As pesquisas dele despertaram curiosidade e explicaram diversas dúvidas — respondeu André. — E seus livros venderam milhares de exemplares, revelando mistérios do outro mundo e consolando inúmeras pessoas que perderam pessoas queridas.

— Como assim? Ele ***ela*** um tipo de detetive? — quis saber Cebolinha.

Foi então que o primo André viu que a turminha estava curiosa e sugeriu que eles repetissem a brincadeira do último encontro:

— Crianças, o que acham de me falarem dos lugares que gostaram no passeio? Assim, mostro como os ensinamentos do Professor Allan Kardec conseguem ser aplicados em qualquer situação. Pode ser?

As crianças concordaram animadas e começaram a contar as aventuras.

Trabalho, solidariedade e tolerância

Eu começo! — gritou Mônica. — Lembram o que vimos logo que chegamos na cidade?

— ***Clalo***! Aquela ***tole enolme***. — respondeu Cebolinha.

— Você se refere à ***Torre Eiffel***, certo? — perguntou André.

— Isso mesmo! Era tão grande e bonita. — disse Mônica. — Devem ter demorado um tempão para construir, né?

Cascão, então, interveio:

— Devem mesmo! Eu gosto de fazer construções com coisas recicláveis e isso gasta muito tempo mesmo.

André observou a conversa entusiasmada e contou um ensinamento que era o lema de Allan Kardec:

— *"Trabalho, Solidariedade e Tolerância"*. Com essas três palavras mágicas vocês conseguirão fazer grandes projetos.

— Isso inclui planos infalíveis? — perguntou o Cebolinha, com cara de quem ia aprontar.

— Cebolinhaaaa! Não atrapalha o André. — respondeu Mônica.

André sorriu e perguntou à turminha:

— E vocês, crianças, com essas três palavras, em que podem ajudar as pessoas?

— Com trabalho, eu consigo reciclar muitos brinquedos. — respondeu Cascão.

— Com solidariedade, posso cuidar do Monicão quando ele fica doente. — continuou Mônica.

— E com ***tolelância***, a Mônica ***podelia segular*** mais as coelhadas. — falou Cebolinha, deixando a dentucinha pensativa.

— Muito bem! Fazer atividades com trabalho, solidariedade e tolerância traz mesmo ótimos resultados. E para o bem de todos. — finalizou André.

Proteção e consciência

Magali lembrou quando a turma subiu ao alto da ***Torre Eiffel*** e contou o que mais gostou:

— No meio, tinha um restaurante delicioso! Nham!

— Sabia que ia ser sua parte favorita. — brincou Marina.

— Ah, sim! Mas eu também amei quando chegamos ao último andar. — continuou a Magali.

— A vista da cidade ***ela inclível***. — afirmou Cebolinha.

Magali, então, contou que a Mônica começou a passar mal e precisou descer logo.

— Eu fiquei tonta por causa da altura. — disse Mônica. — Não estou acostumada.

— Devia ter ***aploveitado pla*** pegar o coelhinho ***encaldido***. — cochichou Cebolinha para Cascão.

Então, Magali fez uma observação:

— A torre é tão alta, mas tão alta, que eu queria ver o Anjinho pra perguntar se as nuvens eram mesmo feitas de algodão-doce.

Foi quando André interveio:

— Crianças, sabiam que Allan Kardec tinha uma frase sobre os anjos da guarda? Ele dizia: *"Os espíritos protetores nos ajudam com os seus conselhos, através da voz da consciência".*

— E o que quer dizer? — perguntou Magali.

André explicou que a Mônica pode ter sentido que era melhor descer logo, por não se sentir bem.

— Talvez o seu anjo da guarda, tenha alertado você. — acrescentou André.

— E também para evitar que um certo menino careca aproveitasse pra pegar meu coelhinho... — disse Mônica olhando para o Cebolinha.

— Eeeeuuuu? Não olhem ***pla*** mim. — questionou o Cebolinha, com um sorriso amarelo, despertando risos na turminha.

Um presente inteligente

— Agora é minha vez. — disse Marina. — Lembram quando fomos visitar aquele jardim lindíssimo?

— Hi, hi, hi! Lembro! — sorriu Franjinha. — Era do seu pintor preferido.

— Sim, eram os maravilhosos ***Jardins de Monet***! — confirmou Marina.

Magali aproveitou e contou que, nesse dia, o Franjinha comprou um livro com diversas pinturas de Monet e deu de presente para a sua querida artista.

— ***Flanjinha alasando colações***! — brincou Cebolinha.

— Acho que o Chico Bento ia gostar de ver todas aquelas plantas — pensou Mônica, enquanto contemplava tanta beleza.

Cascão, cheio de dúvidas, perguntou:

— Mas essa vegetação nasceu assim ou alguém plantou tudo?

— É claro que foi um jardineiro que plantou. — respondeu Mônica.

— E como você sabe? — ele indagou.

André entrou na conversa e explicou à turminha uma frase que Allan Kardec utilizava para essas situações: *"Todo efeito inteligente tem uma causa inteligente".*

— Como as flores do jardim são muito bem trabalhadas, isso mostra que um ótimo artista e um bom jardineiro devem ter atuado ali — disse André.

— No caso, o pintor ***plefelido*** da ***Malina***. — lembrou Cebolinha.

— Por isso Kardec explicava que as coisas geniais que vemos só podem ter sido feitas por pessoas muito talentosas. — acrescentou André.

— Então, Monet era realmente um gênio. — concluiu Franjinha.

Marina, em seguida, rapidamente desenhou umas flores que entregou para todos os amigos. Ela também fez um desenho especial, que deu ao seu amigo Franjinha em gratidão pelo livro, e disse:

— Um presente inteligente merece um outro. — deixando o jovem inventor vermelho de vergonha.

Fé inabalável

Já o Cebolinha contou que gostou mesmo quando ele e a turma fizeram o passeio de turismo pelo interior da França e viram os castelos com grandes muros.

— Esses ***mulos palecem indestlutíveis***! — falou Cebolinha.

— Acho que nem todos, Cebolinha — comentou Franjinha. — Eu já vi num livro de História alguns castelos e muros destruídos.

— Mas esses aí são ***indestlutíveis***, com ***celteza***! — retrucou Cebolinha. — Nem a ***goldu***..., digo, nem a Mônica com sua ***folça conseguilia delubá-los.***

Foi quando André interveio:

— Só uma coisa é indestrutível, meus amiguinhos.

— E o que é, primo? — perguntou em voz baixa Cascão, enquanto pensava. — Será o abraço da dentuça?

— Não! É a fé aliada à razão. — respondeu André.

— Xiii! Não entendi. — respondeu Magali.

André contou que o professor Allan Kardec tinha um ensinamento que dizia: *"Fé inabalável é somente aquela que pode encarar a razão face a face, em todas as épocas da humanidade".*

— Como assim? — perguntou Mônica.

— Quando acreditamos em algo, não somente por opinião pessoal ou porque alguém nos disse, é porque podemos provar que algo seja real e verdadeiro. — explicou André.

— Assim como o Franjinha fez ao falar sobre o que aprendeu no livro? — perguntou Magali.

— Exatamente! — confirmou André. — Ele se valeu de pesquisas e provas apresentadas pela história para, assim, dar a opinião dele.

— Hummm! Então eu tenho fé que serei uma boa *chef*. — falou Magali. — Estou aprendendo muito com a gastronomia francesa.

— E eu tenho ***celteza*** inabalável que a Magali está ***aplendendo*** com muita ***plática***. — disse Cebolinha, fazendo os amigos rirem mais uma vez.

Proporção da felicidade

Cascão, então, deu um salto e gritou:

— Eu me lembrei daquele palácio gigante...

— O ***Palácio de Versalhes***? — interrompeu Mônica. — Era lindo!

— Mas ***plecisava glitar*** assim? — perguntou Cebolinha.

Cascão recordou também que, durante o passeio, Cebolinha advertiu a turminha, apontando as nuvens escuras no céu. E reconheceu:

— Eu quase levei um banho... Mas fui salvo, graças ao meu amigo. Valeu, careca!

— Verdade! Quando o Cebolinha avisou, todo mundo correu e se protegeu da chuva. — recordou Mônica.

— ***Quelem*** me deixar com ***velgonha***, é? Não ***plecisam agladecer***. É ***pla*** isso que ***selvem*** os amigos. — falou Cebolinha.

Foi quando André contou às crianças que naquele palácio morou o rei Luís XVI, e muitas das construções foram presentes para agradar à sua amada, Maria Antonieta.

Mônica, então, imaginou-se como uma rainha e suspirou:

— Ai, que romântico! Um presente do rei.

Cebolinha também se imaginou sendo um rei, dando um castelo à sua amada e suspirou:

— Um ***plesente pla*** minha amada ***lainha***.

— Xi... Já, já o careca vai se entregar — brincou Cascão.

Aproveitando, André falou mais uma frase de Allan Kardec: *"A nossa felicidade será naturalmente proporcional em relação à felicidade que fizermos para os outros".*

— Então, por Cebolinha ter ajudado seus amigos, merece um abraço proporcional à sua ajuda. — afirmou a Mônica, deixando o Cebolinha todo envergonhado.

Ações valem mais que palavras

— Pode ser a minha vez, agora? — perguntou Mônica.

— Claro — respondeu André.

Mônica se lembrou de quando foram visitar a famosa ***Catedral de Notre-Dame***.

— Foi lá que aconteceu um conto tãããão romântico — interrompeu Magali. — Era sobre um homem deformado que se apaixonou pela bela donzela.

— Eu sei — disse Cebolinha, que completou. — O ***Colcunda*** de ***Notle-Dame***.

Mônica seguiu contando que, enquanto tiravam fotos, ela esqueceu o Sansão no chão e um menino francesinho muito fofo pegou o coelhinho.

A Magali prosseguiu a história:

— É mesmo! E quem foi mesmo que saiu correndo pra pedir ao francesinho que devolvesse o coelho, Cebolinha?

— Acho que rolou um ciuminho do careca, Há, há, há — brincou Cascão.

— Nada disso! — retrucou Cebolinha. — Eu apenas ***quelia*** pôr em ***plática*** minhas habilidades linguísticas.

— E você fala francês? — perguntou Cascão.

— *Oui* — respondeu Cebolinha, deixando todos surpresos.

Só que Magali contou exatamente o que foi que o Cebolinha falou:

— Ei, *meninê*, me *devolvê* o *coelhinhê* da ***golduchê*** *Moniquê*.

— Há, há, há! — todos rolaram no chão de tanto rir. Exceto a Mônica, que ficou irritada, claro!

Então, André interveio lembrando um ensinamento de Allan Kardec: *"As boas ações são a melhor prece, por isso os atos valem mais que as palavras"*.

— E foi mais ou menos isso que aconteceu — prosseguiu Magali. — O menino entregou o Sansão pro Cebolinha e ele devolveu imediatamente pra Mônica.

— Muito bem, crianças! Sempre fazendo boas ações. — reforçou André.

Mônica contou, então, que deu um beijo no seu amigo e, para agradecer, falou:

— Você foi um *amorê, Cebolinhê*.

E, claro, a turminha caiu na risada de novo.

Perdão das faltas

Cascão decidiu contar a história que aconteceu quando a turminha foi ao estádio para ver o jogo de um time de futebol francês.

— O Cebolinha ficou até emocionado. — lembrou Franjinha.

— ***Clalo***! — confirmou Cebolinha. — Não ***acleditei*** que ***ilia*** ver, ao vivo, um jogo em ***outlo*** país.

Cascão continuou contando:

— As meninas também adoraram.

— Aquele número 8 jogava muito! Fez dois golaços. — completou Marina.

— Não ***ela pala*** tanto — refutou Cebolinha. — Eu também sou um ***claque.***

— Ah, claro. — contestou a Mônica.

Em seguida, Cascão comentou que um dos jogadores deu tantos dribles que a torcida ficou entusiasmada.

— Só que ele também levou muitas faltas — disse a Magali. — Tadinho.

— É mesmo! Teve uma que o jogador adversário até foi pedir desculpas pela entrada dura que deu — acrescentou Franjinha.

Aproveitando a deixa, André citou uma frase de Allan Kardec para essas situações: *"Aquele que pede o perdão de suas faltas só o obtém se modificar sua conduta".*

Magali observou que, ao se levantar, o jogador desculpou o adversário, cobrou a falta e fez um gol sensacional, que fez o estádio explodir em alegria.

— E lembram que, quando o jogo acabou, esse adversário que fez a falta dura foi lá dar parabéns e ainda ganhou a camisa dele? — disse Mônica.

— Isso foi legal, mesmo! A ***livalidade*** acabou quando o jogo ***telminou*** — concluiu Cebolinha.

Caridade é amor

Franjinha entrou na brincadeira de contar histórias também e perguntou:

— Posso contar o dia em que fizemos o cruzeiro pelo ***Rio Sena***?

— Claro, Franjinha — respondeu André.

— Iiiihhh! Desse passeio eu caí fora! — interveio Cascão. — Tinha água demais pro meu gosto.

Então, Franjinha prosseguiu, contando que ficou impressionado com a tecnologia da parte moderna de Paris e com as pontes que eram vistas a partir do rio.

— É! Só que teve aquele momento de tensão — interrompeu Marina. — Quando a gente viu um cachorrinho despencar do alto de uma ponte.

— O coitado caiu no rio — lembrou Franjinha. — Ele até lembrava o Bidu e acho que era da mesma raça.

— Todo mundo gritou pro condutor socorrer o cãozinho que estava se afogando. — disse Mônica.

Marina prosseguiu a história:

— Mesmo sabendo que o passeio no rio seria prejudicado, a gente preferiu parar o barco e resgatar o bichinho.

— E todos os ***passageilos concoldalam***! — disse Cebolinha. — O cãozinho ficou ***holas*** lambendo a gente ***pla agladecer.***

Foi quando André lembrou-se de uma frase bem famosa de Allan Kardec que dizia: *"Fora da caridade, não há salvação".*

— Essa frase é muito linda! — disse Magali.

André concordou com a comilona e concluiu seu pensamento dizendo:

— Vocês praticaram a caridade, salvaram um bichinho. E, por isso, ganharam um novo amiguinho.

— Ih! Até rimou. — falou Marina, e todos riram.

Simpatizar é preciso

— Posso contar mais uma, do dia em que fomos àquele museu famoso? — perguntou Marina.

— Ao ***Museu do Louvle***? — disse Cebolinha, com desgosto. — Essa, não!

— Isso mesmo. — confirmou Mônica.

Marina contou como foi legal ver as belas obras de arte do museu, porque ela, como artista, teve a chance de conhecer a sensacional pintura Mona Lisa.

— Todo mundo ficou admirado! — falou Franjinha.

— Mas, enquanto a Mônica não tirava os olhos da obra, ela se imaginou sendo desenhada pelo famoso ***Leonardo Da Vinci***. — disse Magali.

Marina continuou, contando que foi nesse momento que o Cebolinha brincou:

— Vai ***palecer*** a Dentuça Lisa, ou melhor, a ***Golducha*** Lisa.

— Cebolinhaaaa! — gritou a Mônica muito brava, dando-lhe uma bela coelhada, em pleno museu.

— Ai, eu queria saber como um artista consegue criar obras tão bonitas... — suspirou Marina.

André explicou uma frase de Allan Kardec para isso: *"Os bons espíritos simpatizam com as pessoas capazes de se melhorar"*, e isso vale para as artes.

Como Da Vinci, além de pintor, foi um grande inventor, ele deixou muitos projetos para ajudar a humanidade.

— Ele deve ter recebido as melhores inspirações para fazer as suas artes. — afirmou André.

Mônica, então, concluiu:

— Ouviu, Cebolinha? Se tentar fazer algumas das suas "artes", você vai "simpatizar" com o meu coelhinho.

E todo mundo caiu na gargalhada. Menos o Cebolinha, claro.

Pratique o bem e receba o bem

— **Lemblam** do plano infalível que bolei naquele **lestaulante** chique? — falou Cebolinha, entusiasmado.

— Aquele daquela avenida linda, a ***Champs-Élysées***? — indagou Magali. — Claro que lembro! Tinham uns crepes ma-ra-vi-lho-sos!

Cebolinha falou que, enquanto todos jantavam, ele percebeu um cheiro estranho no restaurante e perguntou:

— Alguém está sentindo um ***cheilo difelente***?

— Ei, nem olhem pra mim. — disse o Cascão rapidamente.

— Você está certo, Cebolinha — falou Mônica, que logo gritou. — É um cheiro de... queimado!

— É fogo! Olhem: uma vela caiu na mesa. — afirmou Magali.

Cebolinha explicou como todos foram correndo alertar o dono do restaurante, que chamou imediatamente os bombeiros. Enquanto isso, ele bolou um plano:

— ***Tulma***, vamos usar aqueles baldes de gelo, ***folmando*** uma fila, enquanto o fogo ainda está pequeno!

— E todas as pessoas do restaurante concordaram e ajudaram a controlar o fogo. — disse Magali.

Mônica concordou e contou o que aconteceu depois:

— Pra agradecer, o dono do restaurante deu sobremesa grátis e à vontade pra todo mundo.

Então, André mencionou uma frase de Allan Kardec: *"Você receberá de volta tudo o que der aos outros".*

Após ter comido todos os *petit gateau*, Magali finalizou dizendo:

— Receber de volta é uma delícia! Vamos ajudar sempre, pessoal!

Ações com amor

Franjinha lembrou da visita ao palácio e jardim ***Palais Royal***, no centro de Paris.

André, aproveitando o momento, falou:

— Meninos, há muito tempo, aqui existiu uma importante livraria, na qual o professor Allan Kardec lançou seu primeiro livro: *O Livro dos Espíritos*.

— ***Li-livlo dos Espílitos***? — perguntou Cebolinha, assustado.

— Sim, Cebolinha. Mas não tem razão para ter medo. Sabiam que Allan Kardec é o escritor francês mais lido no Brasil? — disse André. — Você conhece algum livro francês?

Lembrando da escola, Cebolinha respondeu:

— É ***clalo***! Conheço *O Pequeno* ***Plíncipe*** e *Os* ***Tlês Mosqueteilos.*** E o meu pai ***semple*** fala de *Os* ***Miseláveis***.

— Muito bem — falou Franjinha, admirado. — A leitura é um ótimo hábito.

— ***Pla bolar*** planos infalíveis, ***pleciso*** ler muito. Hi, hi, hi! — disse Cebolinha.

Enquanto a turminha falava de outros livros, Cebolinha se imaginou sendo um mosqueteiro, e sem perceber, falou em voz alta:

— Eu ***selia*** o ***Daltagnan***, ***salvalia*** a ***lainha*** e ***dilia*** "um por todos e todos por um".

— E eu sei bem quem seria essa rainha. — comentou Cascão, deixando o troca-letras vermelho mais uma vez.

— Você é muito ***englaçadinho***, Cascão... — resmungou Cebolinha.

André, então, comentou uma frase de Allan Kardec, apropriada ao momento: *"Quando o amor dirige os sentimentos e os pensamentos, as ações são corretas".*

— ***Selá*** que o amor ***dilige*** os meus sentimentos? — cochichou Cebolinha, pensativo.

André fingiu que não ouviu, sorriu e completou:

— É ótimo pensar no bem, porque todas as nossas ações nobres praticadas com amor serão corretas.

Libertação

Logo depois, Mônica contou que, quando a turminha estava dentro do ***Museu do Louvre***, eles observaram com atenção a sala egípcia, cheia de túmulos antigos, os famosos sarcófagos.

— Quando passamos por lá, sabem de quem lembrei? — comentou Mônica.

— Do Muminho, é claro. Hi, hi, hi! — respondeu Marina.

— ***Lemblei*** que nesse dia consegui dar uns nós nas ***olelhas*** do Sansão. — recordou Cebolinha.

— E foi nesse dia que você levou várias coelhadas. — completou Mônica.

— Se o Sansão não fosse de pelúcia, você ia ficar mais enfaixado do que uma múmia egípcia. — lembrou a Magali sorrindo.

Aí, André perguntou:

— Vocês sabiam que os egípcios não acreditavam na morte?

— Por quê? Eles não conheciam a ***Dona Morte***? — brincou Cascão.

— Nada disso, Cascão. Na verdade, eles acreditavam que existia a vida depois da morte e que morrer não era o fim.

— E eles não tinham medo? — perguntou Mônica.

— Não — respondeu André. — Acreditavam que as pessoas que tinham o coração puro, depois desta vida, deixariam seus corpos e viajariam a lugares lindos.

Foi então que André lembrou-se de uma frase de Allan Kardec: *"A morte não tem nada de assustador; é a porta da libertação"*, e depois afirmou:

— Era por isso que os sábios egípcios, assim como os espíritas, viam na morte um caminho para ficar livres, e não tinham medo.

Marina aproveitou a oportunidade e desenhou a turminha, ao estilo dos hieróglifos egípcios, todos de ladinho, e com o Cebolinha de múmia, para gargalhada geral.

Verdades e mentiras

Marina lembrou-se também da visita a outro ponto turístico famoso, o ***Museu de Orsay***, e disse:

— Vocês sabiam que esse foi o meu lugar preferido da viagem?

— Ah, eu sabia! — respondeu Franjinha. — Ali estão as obras de Monet, Van Gogh, Renoir e outros grandes artistas do impressionismo francês.

— Eu não entendo nada de ***alte***. — falou Cebolinha.

— A única arte que você conhece é a de aprontar com o Sansão! — bronqueou Mônica.

E Cascão relembrou que eles visitaram uma galeria de arte, pouco antes da viagem:

— A gente estava pertinho daquele pessoal metido a crítico de arte e rolou algo bem engraçado.

— ***Veldade***! Eu estava ***obselvando*** uma peça de ***alte modelna***, sem entender nada, ***polque***, ***pla*** mim, ***elam*** só pedaços de ***felo*** e ***madeila queblados***. — completou Cebolinha.

Cascão prosseguiu contando que, na verdade, era apenas pedaços de lixo, que o pessoal da limpeza tinha esquecido, e depois voltou para retirar.

— Há, há, ha! Nossa! Que mico! — expressou Marina.

— Os "críticos" devem ter ficado desapontados. Hê, hê, hê! —falou Mônica.

Então, André lembrou uma frase de Allan Kardec para ocasiões assim: *"É melhor rejeitar dez verdades do que aceitar uma mentira".*

— Na ***veldade***, eu sabia que não ***elam oblas*** de ***alte***. — esnobou Cebolinha.

— André, sabe o que aconteceu depois? — perguntou Cascão. — Eu pedi os pedaços de ferro e usei tudo para reciclar. Aí, consegui fazer um carrinho maneiro, pra brincar com o careca.

— Muito bem, primo! — parabenizou André.

— Esse ***calinho vilou*** uma ***veldadeila obla altística***. — acrescentou Cebolinha.

E André sugeriu:

— Meninos, não devemos aceitar facilmente algo como verdade. A dica é: acreditem naquilo que possam comprovar como ***verdadeiro***, ***útil*** e que faça o ***bem***.

Egoísmo e caridade

As crianças pediram sobremesas e, assim que elas chegaram, disputaram um doce em especial.

— Magali, seu sorvete está com uma cara tão boa... Posso experimentar? — perguntou Cascão.

— Não, é de melancia. — respondeu Magali. — É meu preferido.

— E eu, amiga, posso experimentar só uma colherzinha? — pediu Mônica.

— Também não! Nham, nham. — replicou a comilona, que seguiu comendo.

Diante das negativas, André interveio:

— Vocês se lembram daquele arco gigante que vimos na cidade?

— O ***Alco*** do ***Tliunfo***. — afirmou Cebolinha.

— Isso! Foi onde ***Napoleão*** atravessou com seu exército. — confirmou Franjinha.

André, então, contou sobre Napoleão, um gênio militar que, mesmo com todo o seu talento, foi derrotado pelo seu orgulho e egoísmo.

— Pensei que tinha sido ***delotado*** pelos inimigos. — falou Cebolinha.

— Isso mesmo, seus inimigos interiores. — disse André.

Em seguida, André ensinou uma frase interessante de Allan Kardec:
"O egoísmo é a fonte de todos os vícios, e a caridade é a fonte de todas as virtudes".

— E esses são nossos maiores inimigos. — completou André.

Ao ouvir essa reflexão, Magali pensou em compartilhar seu sorvete com os meninos e disse em tom de desculpas:

— Cascão! Mônica! Tó. Eu divido meu sorvete com vocês.

— Você é uma ótima amiga. — disse Mônica, e junto com Cascão, se deram um forte abraço.

E é claro que o primo André aproveitou e tirou uma foto de lembrança.

Boa educação

— Ei, primo, sei de uma boa história! Foi quando passamos por aquela universidade antigona... — lembrou Cascão.

— A ***Sorbonne*** — completou Franjinha.

— Quero estudar lá quando crescer. — disse Cascão.

— Nem me fale, é meu sonho também — confirmou Franjinha.

— O que ela tem de tão especial? — perguntou Mônica.

André explicou se tratar de uma das melhores universidades do mundo. Inclusive, Allan Kardec, como professor, deu aulas lá, e André se lembrou de uma frase: *"A educação, se bem compreendida, é a chave do progresso".* E tem mais:

— A boa educação deve ser completa, não só pelos conhecimentos, tem que ser com valores como respeito e amor aos semelhantes.

— Puxa! Eu quero ser engenheiro robótico — falou Franjinha. — E os meus robôs vão ajudar a resgatar pessoas.

— Reciclagem é comigo mesmo — disse Cascão. — Posso reaproveitar muitas coisas que são jogadas fora nas grandes cidades.

— Eu poderia trabalhar com você, Cascão — brincou Marina. — Quero ser uma arquiteta de cidades ecológicas.

— Gastronomia será a minha especialidade. — afirmou Magali. — Alimentos preservando o meio ambiente.

— Parabéns, turminha. Que bom ver vocês todos pensando no futuro — falou André.

Enquanto isso, toda a turminha imaginava como usar suas futuras profissões, não só para serem bem instruídos, mas para fazer o bem à sociedade e à natureza.

Evoluir sempre

— Ah, também foi muito divertido quando saímos pra comprar perfumes. — lembrou Mônica.

— Eu ***complei*** Victor ***Huguinho*** e um Pato ***Labanne*** — disse Cebolinha.

— Eu não precisei comprar perfumes — falou Cascão.

— É claro, você já tem o seu "perfume" natural — brincou Mônica, fazendo a turma cair na risada.

André recordou que a loja fica na ***Rua de Sant'Anna***, o lugar onde Allan Kardec viveu e iniciou suas pesquisas espíritas.

— Como assim? — perguntou Magali. — Ele estudou os espíritos?

— Na verdade, ele pesquisou as comunicações com os espíritos e chamou isso de ***Espiritismo***, e quem a estuda, como eu, de ***espírita***.

André citou uma frase de Allan Kardec: *"Reconhece-se o verdadeiro espírita pela sua transformação moral e pelos esforços que faz para domar as suas más inclinações".*

— E o que isso quer dizer, André? — perguntou Cascão.

— Que as pessoas devem se esforçar para serem hoje melhores que ontem, e amanhã, melhores do que hoje. — respondeu André.

— Espera... estou entendendo — falou Mônica. — Então, se um certo sujinho aceitar tomar um banho hoje, já será melhor que ontem?

— Opa, opa, opa! Peraí! Você está jogando sujo! — reclamou Cascão.

— É que seu cheirinho está ficando fedido demais. — advertiu Magali.

— Tudo bem, tudo bem! Amanhã mesmo tomarei um banho! — falou Cascão, deixando todos pasmos.

— Sério? — estranhou Mônica.

— Sim! Um banho de sol. — respondeu Cascão, gargalhando.

PARFUMS

Paciência é amor

Tem mais uma historinha que quero contar — disse Mônica. — Foi quando visitamos aquele parque temático.

— Foi bom demais! — expressou Magali. — Eu comi muitos docinhos.

— Ver os castelos e os fogos de artifício foi sensacional! — disse Franjinha.

— Pena que, no final do dia, vocês ficaram exaustos de tanto caminhar! — lamentou Cascão.

Mônica contou que tinha muitas filas e, por isso, de tanto ficar em pé, ela, Franjinha, Marina e Magali já no finalzinho, andavam mais devagar.

Magali lembrou-se do que o Cebolinha disse apressado:

— Vamos! Ainda tem uma montanha-***lussa pala ilmos***, antes que feche.

— Mônica, Magali, Franjinha e eu ficamos preocupadas em nos separarmos dos outros. — disse Marina.

Ao ouvir essa história, André citou uma frase de Allan Kardec: *"A paciência também é uma caridade."*

— E foi isso mesmo que o Cebolinha fez — esclareceu Mônica.

Ao ver as meninas esgotadas, Cebolinha falou:

— Fiquem ***tlanquilas***, vamos ***pelmanecer*** todos juntos.

— A gente anda mais devagar. — acrescentou Cascão.

— É isso aí, amigos. Se não der pra chegarmos, deixaremos para uma outra vez. — completou Franjinha.

Mônica contou que eles continuaram e ainda conseguiram chegar na última atração do parque.

E foi por isso, pelo gesto de paciência dos meninos, principalmente do Cebolinha, que eles ganharam das meninas um beijo de agradecimento.

— Não ***plecisava*** contar essa ***palte***. — falou o troca-letras, todo vermelho.

Pagar o mal com o bem

— Tem mais uma! — falou Franjinha. — Lembram da decoração no ***Palácio de Versalhes***?

— É ***clalo*** que ***lemblo***! — afirmou Cebolinha. — Eu até ganhei ***válios caltões*** postais do guia de ***tulismo***.

— E não dividiu com a gente! — reclamou Mônica furiosa.

— Mas ele deu só ***pla*** mim, ***golducha***! — provocou Cebolinha.

— Eu fiquei admirado com a decoração, e lembrei que uma rainha que viveu lá disse uma famosa frase — continuou Franjinha. — Como era mesmo, André?

André contou que essa rainha era a famosa ***Maria Antonieta***. Quando o povo passava fome, e foi lhe pedir pão, segundo alguns, ela teria dito: "Que eles comam brioche", que é um pão muito chique.

— Humm... pão... nham, nham! — interveio Magali só imaginando. — Já me deu fome de novo.

André prosseguiu e contou que os inimigos do rei o capturaram e logo iniciaram a ***Revolução Francesa***. Para isso, Allan Kardec tinha uma frase que dizia: *"Amar os inimigos é perdoá-los e lhes retribuir o mal com o bem".*

— Então, se devemos amar nossos inimigos... devemos amar ainda mais nossos amigos. Entenderam? — perguntou André.

Ouvindo isso, Cebolinha refletiu, pegou os postais da sua mochila e disse:

— Este é ***pla*** você, este ***outlo pla*** você!

— Puxa vida, Cebolinha! Por essa eu não esperava — confessou Mônica.

— Vocês são meus amigos e amigos são ***pla*** isso!

Assim, o carequinha deixou toda a turminha feliz com seus postais de lembrancinhas e ele ficou mais contente ainda por ter compartilhado com seus amigos.

É importante compreender

— Há, há, há! — riu Cascão, ao recordar de outra história.

Ele contou que o Cebolinha foi pedir informação para pegarem o transporte para irem ao teatro ***Opera***. E, claro, foi falar em francês, mas deu tudo errado.

— Ei, eu até que entendo bem o ***flancês***! — interveio Cebolinha. — Eu fiz um ***culso*** pela ***intelnet***.

— O pior foi que isso fez a gente se atrasar. Humpf! — reparou a Mônica, brava.

— O mais engraçado foi ver o Cebolinha querendo traduzir o espetáculo pra gente — comentou Marina.

— E ele conseguiu traduzir algo? — perguntou André, curioso.

— ***Clalo***! *Oui*! ***Melci***! *Bonjour! Ou lá lá!* — respondeu Cebolinha, arrancando risadas da turminha.

André lembrou que Allan Kardec tinha uma frase assim: *"Não basta ver para crer, é preciso compreender".* Ele aconselhava as pessoas a compreenderem bem as coisas, para não passarem vergonha falando de algo que acham que sabem.

— Está "compreendendo" essa dica? — disse Mônica, olhando para o troca-letras.

— É... tá ***celto***... — respondeu Cebolinha. — Voltando da viagem, vou ter mais umas aulinhas de ***flancês***.

E como o Cebolinha mostrou boa intenção para melhorar, André pegou no bolso o seu minidicionário de francês e deu de presente ao carequinha, deixando-o muito contente.

— ***Melci beaucoup***, ***Andlé***. — agradeceu Cebolinha.

Laços de família

— Ei, lembram quando a Marina queria ver a cidade do ponto mais alto de Paris? — perguntou Franjinha.

— Sim! Foi quando todos fomos lá pra ***Basílica de Sacré Coeur***! — disse Marina.

— A gente já tinha andado bastante e ainda tinha mais escadas pra subir. — reclamou Mônica.

— Foi bom ***pla golducha*** queimar ***calolias***! — cutucou Cebolinha, levando imediatamente uma coelhada. Tóim!

André acalmou os ânimos e contou que o nome *Sacré Coeur* quer dizer Sagrado Coração, e se refere ao amor de Jesus por todos nós, como se fôssemos sua família.

— Lá de cima, dava pra ver as pessoas em suas casas e eu me lembrei da minha família e do Bidu — falou Franjinha, com uma expressão de saudade.

— Eu me lembrei da Cascuda e do Chovinista — acrescentou Cascão.

— E eu do Monicão, mas também do Chico Bento e do Zé Lelé. — recordou Mônica.

— Eu vi um gatinho que me fez sentir saudade do Mingau. — falou Magali.

Aproveitando a narrativa, André contou que o professor Kardec tinha uma frase para falar da família: *"Os verdadeiros laços de família não são os de sangue, e sim os da simpatia e de ideias similares".*

— Não fica triste, Franjinha — falou a Marina. — Nós também somos sua família.

Em seguida, a turminha inteira se uniu num abraço coletivo em volta do pequeno cientista. Afinal, o amor também nos transforma numa grande família.

Renascer

— A ***Vênus de Milo***! Ela mesma! — gritou Marina.

— O que houve? — perguntou André.

— Lembrei quando a gente viu no museu a famosa escultura da deusa grega. — respondeu Marina, emocionada.

— Eu até me imaginei posando de modelo para um famoso escultor fazer uma cópia de mim! — comentou Mônica.

— Há, há, há! — riu Cebolinha. — O coitado ia ***plecisar*** de muita ***algila pla***...

— Para o quê, Cebolinha? — gritou Mônica muito, muito brava, já com o coelhinho girando.

— Nada não, Moniquinha! Hê, hê, hê! — tentou disfarçar Cebolinha.

— Calma, criançada! — interveio André, tentando manter o controle.

O Cascão, então, perguntou:

— André, por que as estátuas do museu estavam quebradas?

André explicou que muitas obras foram destruídas pelo tempo, mas que eram restauradas no museu.

— Algo parecido com o que você faz com a reciclagem — lembrou Marina.

Aproveitando a conversa, André lembrou de um ensinamento de Allan Kardec: *"A destruição é o meio de atingir um nível mais perfeito, porque tudo morre para renascer."*

— Mônica, quando a gente voltar pro Limoeiro, eu posso tentar fazer uma escultura de você — disse Marina.

— E eu me ***complometo*** a ajudar ***calegando algila***! — falou Cebolinha.

— Nossa! Quanta gentileza... — estranhou Mônica.

— Mesmo que a ***algila*** seja pesada! — falou Cebolinha, sem querer.

— Olha, Cebolinha, hoje você não vai levar coelhada porque a sua gentileza me emocionou. — disse Mônica — E eu não vou estragar a sua piada.

— Ufa! — exclamou Cebolinha, aliviado.

NAITRE MOVRIR RENAITRE ENCORE
ET PROCRESSER SANS CESSE
TELLE EST LA LOI

Progredir sem parar

No meio de tanta conversa animada, André contou para as crianças o lugar que ele mais gostou da viagem:

— Turminha, lembram quando visitamos um dos mais famosos cemitérios do mundo, o ***Père-Lachaise***?

— Sim! — respondeu Cascão. — Nunca imaginei que um lugar assim poderia ser um ponto turístico.

— Ali, os túmulos são verdadeiras obras de arte e arquitetura. — comentou Marina.

André recordou que ali encontra-se o túmulo de Allan Kardec, que é o mais visitado, e com os melhores cuidados.

— Só não entendi por que tem aquelas pedras enormes... — quis saber Cascão.

— Aquilo se chama "***Dolmens***" — respondeu Marina. — É a arquitetura dos antigos monges druidas e serve para identificar e enfeitar os túmulos.

— Muito bem, Marina! — parabenizou André.

O primo do Cascão lembrou de uma frase druida que está escrita na parte superior do *dólmen* de Allan Kardec: *"Nascer, crescer, morrer, renascer ainda e progredir sempre, tal é a lei".*

— E o que isso quer dizer? — perguntou Magali.

— Que tudo o que morre renasce. — respondeu André.

— Como as flores? — pensou Mônica.

— Isso mesmo! — confirmou André. — As estações permitem que tudo na natureza se transforme e volte a surgir novamente.

— Agora me lembrei de que nesse túmulo tinha muitas flores. — falou Marina.

Aproveitando o momento, Marina desenhou flores em diversos guardanapos, entregou aos seus amigos e disse com ternura:

— Isso é para que o amor entre a gente renasça sempre!

Raiva, nunca

Era a vez da Mônica falar, mas ela foi interrompida pela briga entre os meninos, que disputavam a câmera de André, pois queriam ver as fotos da viagem.

— Deixa eu ver essa foto! — falou Cascão.

— Você já viu! — respondeu Cebolinha. — ***Agola*** é minha vez!

— Eu também quero ver — entrou Franjinha na discussão.

Muito brava, Mônica puxou a câmera dos meninos com tanta força, que acabou soltando uma pecinha:

— Ops! Foi mal, pessoal.

— Poxa, Mônica! Eu só queria rever as fotos da viagem. — reclamou Cascão.

— E eu queria rever minha foto preferida, que tirei lá no ***Obelisco de Luxor***. — lamentou Franjinha.

André aproveitou o momento e contou que os pesquisadores descobriram que esse obelisco tinha sido trazido do Egito pelo grande ***Imperador Napoleão***.

— Napoleão, após muitos triunfos, começou a sofrer derrotas. — disse André.

— Mas por quê? Ele não ***ela*** um gênio militar? — perguntou Cebolinha.

— Por tomar decisões erradas — respondeu André, lembrando de uma frase de Allan Kardec: *"Nunca aja por impulso de uma raiva; ela nos leva a fazer coisas das quais iremos nos arrepender"*.

Então, toda arrependida, Mônica disse:

— Desculpa, pessoal, vou tentar melhorar.

— Nós sabemos que você não fez por mal — falou André.

— Eu já consertei — falou Franjinha, que, após um tempo, tinha conseguido recuperar a câmera com todas as fotos.

— Ai, obrigada, Franjinha. — agradeceu a dentucinha.

— Bem, acho que todos aprenderam a lição das consequências que a raiva traz, né? — alertou André. — Tomar decisões com raiva, nunca!

Humildade = felicidade

— Eu não consigo esquecer o passeio ao redor da igreja, onde havia aqueles bichos feios, as gárgulas. — disse Mônica.

— Ah, a ***Catedral de Notre-Dame***. — falou André.

— Isso mesmo! — confirmou a dona da rua. — Eu lembrei porque logo depois encontramos os pintores ao ar livre, para fazer os nossos retratos.

Marina deu um suspiro e disse:

— Ai, ai... Era muito talento junto! Um dia, vou querer desenhar como eles.

— Pra mim, você já desenha muitíssimo bem — falou Franjinha.

— Você que é muito gentil, Fran. — disse Marina, envergonhada.

André, então, lembrou de um ensinamento de Allan Kardec: *"Sem humildade é impossível ser feliz"*.

— Eu percebi isso — acusou Marina. — Esses pintores tão talentosos são simples e felizes com sua arte.

— É isso mesmo, Marina. — confirmou André, e fez um pedido. — O que acha de aproveitar esse momento e fazer um desenho de todos nós?

— Só não vai desenhar a ***goldducha pelto*** de mim! — advertiu Cebolinha.

— Por que não? — perguntou Marina.

— ***Polque*** vai ***palecer*** aquela ***gálgula*** que vimos na ***igleja***! — brincou Cebolinha.

Ao ouvir isso, Mônica respondeu:

— Eu vou dar tantas coelhadas num certo careca, que ele vai ficar parecendo aquelas gárgulas! Volta aqui!

— ***Socooolo***! — gritou Cebolinha correndo, enquanto todos riam, e Marina desenhava a cena.

Au revoir

Bem, turminha, mais uma vez adorei nossa conversa, mas já está na hora de irmos para o aeroporto. — disse André.

— Eu adorei o passeio, André! Você foi muito gentil, como sempre — expressou Magali.

— Ah, isso é de família! — provocou Cascão.

— Muuuuiiito engraçadinho, Cascão! — disse Mônica. — Mas a gente quer mesmo é agradecer. Foi superlegal!

— Não precisam agradecer, crianças. Viagens com ensinamentos do bem enriquecem nossas vidas — falou André.

— Nós todos ***aplendemos*** muito — acrescentou Cebolinha, contabilizando suas coelhadas.

— E saibam que eu também aprendi muito com vocês! — arrematou André.

Assim, André fechou a conta do restaurante e, enquanto todos aguardavam a van que os levaria, lembrou de mais uma frase de Allan Kardec: *"O homem de bem é bom para com todos, sem distinção de raças, nem crenças, porque vê em todos os homens seus irmãos".*

— Espero que levem esta mensagem e continuem sendo crianças boas com todos.

— Siiimm! — Disseram todos ao mesmo tempo.

Na chegada ao aeroporto, Cebolinha, em nome da turminha, se despediu de Paris, a cidade luz, dizendo:

— *Au* ***levoir***, e até a ***plóxima***!